≋ | KJB

Luis Sepúlveda

Wie der Kater und die Maus trotzdem Freunde wurden

Aus dem Spanischen von Willi Zurbrüggen
Mit farbigen Bildern von Sabine Wilharm

〰 | KJB

Erschienen bei FISCHER KJB

Die spanische Originalausgabe erschien 2012 unter dem Titel
›Historia de Mix, de Max y de Mex‹ beim Verlag Espasa, Madrid
© Luis Sepúlveda, 2012
By arrangement with
Literarische Agentur Mertin Inh. Nicole Witt e. K.,
Frankfurt am Main, Germany

Für die deutschsprachige Ausgabe
© S. Fischer Verlag GmbH, Frankfurt am Main 2014
Umschlaggestaltung: bilekjaeger, Stuttgart,
unter Verwendung einer Illustration von Sabine Wilharm
Repro: ReproTechnik Fromme, Hamburg
Satz: Pinkuin Satz und Datentechnik, Berlin
Druck und Bindung: CPI books GmbH, Leck
Printed in Germany
ISBN 978-3-596-85628-2

*Für meine Enkelinnen und Enkel Camila, Daniel,
Gabriel, Aurora und Valentina*

I

Man könnte sagen, dass Mix der Kater von Max ist;
aber auch, dass Max der Mensch von Mix ist. Da das
Leben uns jedoch lehrt, dass es nicht recht ist, als
Mensch Besitzer eines anderen Menschen oder eines
Tieres zu sein, sagen wir also, dass Max und Mix,
oder Mix und Max einander mögen.
Max und Mix, oder Mix und Max wohnten in Mün-
chen in einer von schönen großen Kastanienbäumen
gesäumten Straße. Diese Bäume, die im Sommer
herrlichen Schatten spendeten, waren Mix' größte
Freude und Max' größte Sorge.

Als Mix noch ganz klein war und Max und seine Geschwister einmal nicht aufpassten, lief er nach draußen auf die Straße. Dort schnupperte er sogleich die Lockungen des Abenteuers und kletterte bis in den höchsten Wipfel einer Kastanie. Oben stellte er fest, dass Hinunterklettern viel schwieriger war, als nach oben zu klettern. Da klammerte er sich an seinen dünnen Ast und miaute um Hilfe.

Max, der auch noch klein war, kletterte sofort auf den Baum, um Mix herunterzuholen. Als er die Spitze der Baumkrone erreichte, schaute er nach unten. Da wurde ihm ganz mulmig, und er merkte, dass er auch nicht mehr hinunterklettern konnte.

Ein Nachbar rief die Feuerwehr, und die kam mit einem großen roten Auto voller Leitern. Max' Brüder, die Nachbarn und der Briefträger riefen von unten: »Nicht bewegen, Max! Nicht bewegen, Mix!«

Der Feuerwehrhauptmann mit seinem glänzenden Helm wollte wissen, wer Max und wer Mix war, bevor er die lange Ausziehleiter hinaufkletterte.

Oben hielt Max Mix fest im Arm und sagte zu ihm: »Da haben wir was Schönes angestellt, Mix. Versprich mir, dass du nie wieder in die Spitze eines Baums kletterst, bevor du nicht gelernt hast, an den unteren Ästen nach oben und nach unten zu klettern.«

Das sagte Max oben in der Spitze der Kastanie zu
Mix, weil Mix sein Freund war, und weil Freunde
sich gegenseitig helfen und voneinander lernen und
Erfolge und Misserfolge miteinander teilen.
Als Max und Mix wieder unten waren, gab der Feuerwehrhauptmann ihnen noch ein paar gute Rat-
schläge, dann konnten sie – voller Kastanienblüten-
staub, wie sie waren – nach Hause gehen.

13

II

Mix wuchs heran. Aus ihm wurde zuerst ein schöner junger Kater mit schwarzem Rückenfell und einer weißen Brust, und später ein ausgewachsener starker Kater.

Max wuchs auch heran, und aus dem Kind wurde ein Junge, der jeden Morgen mit dem Fahrrad zur Schule fuhr, vorher aber immer Mix' Katzenstreu wechselte und ihm den Fressnapf mit seinem Lieblingsfutter – dem mit Fischgeschmack – füllte.

Max passte auf Mix auf, und Mix passte auf die Speisekammer auf, damit sich keine Mäuse über die Schachtel mit den Schokoflocken hermachten, die Max so gern mochte.

Es gab zwar gar keine Mäuse im Haus, aber trotzdem bewachte Mix mit Freude die Speisekammer, weil er wusste, dass Max sein Freund war, und Freunde auch die Freude des anderen im Auge haben.

Eines Tages sagte ein Schulkamerad von Max etwas

über das Aussehen von Mix, und als er gegangen war, schlug Max das Lexikon bei dem Buchstaben »P« auf und suchte das Wort »Profil«. Da fand er eine Reihe von alten Bildern und Zeichnungen, die ihm gefielen. Er rief Mix, hob ihn auf den Tisch und zeigte ihm die aufgeschlagene Seite.

»Sieh mal, Mix, mein Freund hat recht. Du hast das, was man ein griechisches Profil nennt.«

Genauso war es. Mix besaß ein griechisches Profil, das seine großen gelben Augen gut zum Ausdruck brachte. Später zeigte Max ihm manchmal Bücher über das alte Griechenland und erzählte ihm von Männern mit Namen Agamemnon, Achilles, Odysseus und Menelaos. Sie alle hatten das gleiche Profil wie Mix.

Manchmal kam Mix nicht, wenn Max ihn rief. Dann ging Max nach draußen und fragte den Zeitungsverkäufer oder den Briefträger:

»Haben Sie nicht einen großen Kater mit schwarzem Rückenfell und weißer Brust gesehen?«

»So einen Kater mit griechischem Profil? Ja, den hab ich gesehen. Er ist auf einen der Kastanienbäume vor eurem Haus geklettert. Ein geschickter Kletterer dieser Kater mit dem griechischen Profil.«

Dann war Max beruhigt, denn er wusste, dass Mix zurückkommen würde, wenn ihm danach war, und dass er es genoss, oben auf den Dächern die Freiheit seines Katzendaseins auszukosten.

Freunde sorgen immer dafür, dass der andere seine Freiheit hat.

III

Für Katzen rechnet sich die Zeit anders als für Menschen. Mit den Jahren wuchs Max zu einem jungen Mann voller Träume und Pläne heran, während Mix in derselben Zeit ein alter Kater wurde.

Max mochte den Gedanken, dass kein Vogel fliegen kann, wenn er geboren wird, jedoch unweigerlich der Augenblick kommt, in dem die Verlockungen der Lüfte stärker sind als die Angst vor dem Absturz und das Leben ihnen dann zeigt, wie sie sich aus dem Nest schwingen müssen. Als Max achtzehn Jahre alt wurde und unabhängig sein wollte, halfen seine Eltern ihm, eine kleine Wohnung in einer ruhigen Straße mit vielen Bäumen zu finden.

»Dies ist jetzt unser Zuhause, Mix«, sagte Max, als er die Tür ihres neuen Heims aufschloss. »Manchmal werde ich wohl noch traurig sein, weil ich meine Eltern und Geschwister vermisse; aber ich habe ja dich und weiß, dass ich nicht allein bin.«

Mix gewöhnte sich schnell an die neue Wohnung unter dem Dach eines fünfstöckigen Hauses, wo er bald ein Fensterbrett fand, auf dem er sitzen und mit aufmerksamem Katzenblick alles beobachten konnte, was sich jenseits der Fensterscheibe abspielte.

Max wusste, dass es wichtig war für Mix, nach draußen zu können. Daher stellte er im Bad die Dachluke auf und eine Leiter darunter, so dass der Kater hinausklettern und über die Dächer spazieren konnte.

Freunde wissen, wo die Grenzen des anderen sind, und helfen ihm.

Jeden Tag ging Mix auf Entdeckungsreise, und wenn er zurückkam, dankte er Max, indem er sich schnurrend an seinen Beinen rieb. So lebten sie in der kleinen Wohnung zusammen. Und während Max Bücher las, in denen die Geheimnisse der Mathematik, der Chemie und der Physik erklärt wurden, rollte sich Mix zu seinen Füßen zusammen und

dachte an all die Bäume, auf die er schon geklettert war, an die Vögel, die aufflatterten, sobald sie ihn erblickten, an den Regen, der ihn durchnässt hatte, oder an den Schnee, der im Winter unter seinen Pfoten knirschte.

Wahre Freunde teilen nämlich auch die Stille miteinander.

Max lernte, während die Stadt im Schnee versank; lernte, kaum dass er das knospende Grün der Bäume bemerkte, welches den Frühling ankündigte. Er lernte bei offenen Fenstern, damit die Sommersonne in die Wohnung scheinen konnte, und er lernte noch, als die Tage kürzer wurden und sich das schmutzige Grau des Winters wieder in die Straßen schob. Nur wenn er sich anstrengte, würde er seine Träume und Pläne verwirklichen können, und deshalb lernte er, was das Zeug hielt, um zu begreifen, warum die Dinge so waren, wie sie waren, und wie man sie besser machen konnte.

Mix indes fand immer weniger Vergnügen daran, auf den Dächern herumzuspazieren. Er dachte, es müsse wohl am Winter liegen, an den dunklen Tagen und dem feinen Nebelschleier, der über allem lag.

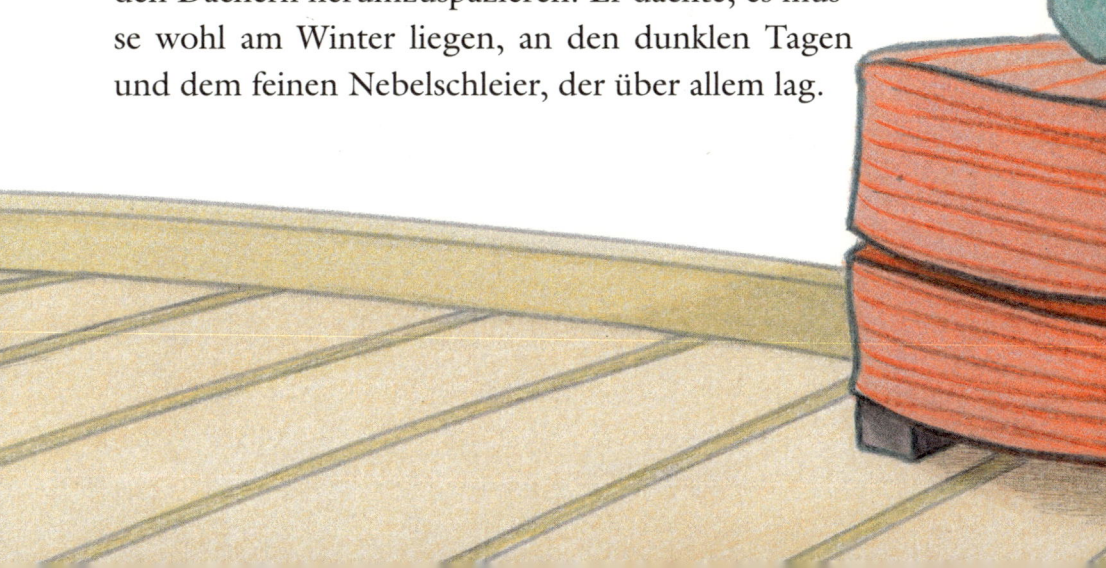

IV

Eines Tages klopfte es an der Tür, und wie immer lief Mix gleich los, um den Besucher als Erster zu begrüßen. Max sah ihn durch den Flur laufen, und er sah auch die Kiste mit den Büchern, die er in die Bibliothek zurückbringen wollte; eine Kiste, die noch nie da gestanden hatte. Es berührte ihn schmerzhaft, als er sah, wie Mix gegen die Kiste lief. An diesem Tag öffnete Max dem Besucher nicht die Tür. Er nahm Mix in den Arm und ging mit ihm zum Tierarzt. Dessen Diagnose war grausam, hart, unerwartet. Mix war blind.

Von diesem Tag an blieb alles strikt an seinem gewohnten Platz. Wenn jemand einen Stuhl verrückte, musste er ihn hinterher wieder so hinstellen, wie er ihn vorgefunden hatte. Die Türen blieben immer geöffnet, damit Mix sich unbeschwert durch die Wohnung bewegen konnte.

Wahre Freunde kümmern sich um den anderen.

Mix, der Kater mit dem griechischen Profil, kletterte zwar nicht mehr die Leiter zur Dachluke hinauf; aber in der Wohnung war er – wenn auch wegen seiner Blindheit etwas langsamer als sonst – immer noch unterwegs. Mit Hilfe des Geruchssinns und dem guten Gedächtnis der Katzen fand er problemlos den Weg zum Katzenklo oder zu seinem Fressnapf.

Zu Max' Füßen zusammengerollt, hörte er das Geräusch des Fingers, der eine Buchseite umblätterte, und er lauschte seinem Freund aufmerksam beim Auswendiglernen von Texten. Sein Gehör wurde immer besser, bis er sogar das Geräusch des Schreibens mit einem Kugelschreiber von dem mit einem Bleistift unterscheiden konnte. In der Wohnung nebenan wohnte eine Musikstudentin, und Mix war immer ganz glücklich, wenn er sie mit den Worten: »Mal sehen, was uns Bach heute zu sagen hat«, zur

Geige greifen hörte, denn dann würden ihn die Geigenmelodien bald in den Schlaf wiegen und der Nebel seiner Augen sich in die Farbe des Glücks verwandeln.

Sein Gehör verfeinerte sich derart, dass er sogar die Stimmen der Hausbewohner aus den unteren Stockwerken hören konnte. Einer mochte keine Margarine, und eine Frauenstimme erwiderte, Butter sei zu teuer. Ein anderer behauptete, sein Rasierapparat kratze die Haut wund; und eines Tages erschrak Mix, als ein Bewohner aus dem zweiten Stock sich über die Nachlässigkeit seiner Kinder beschwerte, weil ihnen sämtliche mexikanischen Mäuse entwischt waren.

»Was sind denn wohl mexikanische Mäuse?«, fragte sich Mix, ohne jedoch weiter darüber nachzudenken, denn das Geräusch des in den Fressnapf prasselnden Katzenfutters war so unwiderstehlich, dass er sich unverzüglich in die Küche begab.

V

Eines Morgens – während Max ihm den Rücken kraulte – hörte Mix ihn sagen, dass er verreisen müsse, ihm aber den Fressnapf gehäuft vollmachen und schon am nächsten Tag zurückkommen werde.

Zur Antwort schnurrte Mix. Er wusste, dass Max zu einem Vorstellungsgespräch fuhr. Am Abend zuvor hatte Max ihm den Bauch gekrault und erzählt, dass er mehrere Angebote habe und sich das beste aussuchen werde.

»Wenn alles so kommt, wie ich es mir vorstelle, Mix, werden wir uns bald eine größere Wohnung leisten können. Dann hast du viel mehr Auslauf als bisher. Na, wie gefällt dir das, Mix? Würdest du gerne mehr Auslauf haben?«

Zur Antwort streckte Mix seinen Körper unendlich in die Länge.

Wahre Freunde teilen ihre Träume und ihre Hoffnungen.

Als Max die Wohnungstür hinter sich zuzog, sank eine allumfassende Stille herab; eine Stille, so schwer wie das diesige Grau des Herbstes, das Mix noch kannte. Ein Dunst, der – vom Dach aus gesehen – alles verhüllte, die Straßen verschwinden und die Kronen der Kastanienbäume wie Inseln in einem grauen Meer aussehen ließ.

Mix kuschelte sich unter der Heizung zusammen, bis er bequem lag, und schloss die Augen. Immer, wenn er das tat, lichtete sich der Nebel vor seinen Pupillen, und er sah mit den unerschöpflichen Augen der Erinnerung alles ganz deutlich vor sich, was in der Schatzkammer seines Gedächtnisses aufbewahrt lag.

Mix hatte noch nie einen Vogel gefangen; aber er erinnerte sich noch gut, mit welchem Vergnügen er den Flug der Elstern zu ihren Nestern beobachtet hatte, die immer irgendwas Glänzendes in ihren Schnäbeln trugen. Voller Sehnsucht dachte er an den hohen Flug der Stare, die in großen Schwärmen über den Himmel jagten wie ein einziger Körper, der aus Tausenden von winzigen schwarzen Punkten bestand. Die heimelige Wärme unter der Hei-

zung brachte ihm auch das Bild vom schweren Flügelschlag der Gänse in Erinnerung, die jedes Jahr aus den kalten Regionen gen Süden flogen und das Herannahen des Winters verkündeten.

Unter der warmen Heizung in Erinnerungen schwelgend, fühlte Mix sich ausgesprochen wohl, als er plötzlich leise, ganz leise Trippelschritte hörte, die sich näherten, innehielten, dann noch näher kamen.

Ohne seine Stellung zu verändern, spannte er die Muskeln an. Mit geschlossenen Augen bewegte er die Schnurrbarthaare und ließ die Ohren zucken. Was sich ihm da näherte, roch nach Papier, roch genauso wie die Bücher, in denen Max nach den Geheimnissen des Wissens forschte.

Dann – geschwind wie in seinen besten Jahren – ließ Mix seine Pfote vorschnellen und fühlte einen zitternden kleinen Körper unter dem Ballen. Er bewegte sich und versuchte freizukommen, doch Mix drückte fester zu, bis er still war.

»Was für ein merkwürdiger Geselle bist du denn?«, fragte er in der Sprache der Katzen, der Mäuse und sonstigen Bewohner der Dächer.

Unter seiner Pfote versuchte eine winzige Maus vergebens, sich von dem Gewicht freizustrampeln, das auf ihr lastete. Die Maus war zwar klein, schwach und zartgliedrig, aber sie war schlau und rief sich blitzschnell in Erinnerung, was sie alles über Katzen wusste, bevor sie antwortete. Sie suchte nach etwas, wovor Katzen sich vermutlich ekelten.

»Ich bin eine Nacktschnecke, Herr Kater. Ja, ich bin eine schleimige, ekelerregende Nacktschnecke; ein

widerwärtiges Gewürm, so hässlich, dass ich nicht in den Spiegel sehen mag, weil ich sonst von Angst und Ekel überwältigt würde. Tatsächlich bin ich so hässlich, dass ich Sie bitten muss, nicht die Augen zu öffnen, da der Anblick eines so hässlichen Gewürms Ihnen Schaden zufügen, den Appetit rauben und Ihnen schreckliche Albträume verursachen könnte. Ach, warum bin ich bloß so hässlich!«

Ohne den Druck zu verringern, betastete Mix mit der anderen Pfote den Kopf, die winzigen Öhrchen, den pelzigen Rücken und den Schwanz der kleinen Maus.

»Eine Nacktschnecke mit Ohren, Schurrbart und langem Schwanz. Ich hätte nie gedacht, dass eine Nacktschnecke so sehr einer Maus ähneln kann; einer so schwatzhaften Maus noch dazu.«

Die Maus glaubte sich schon verloren, als ihr einfiel, dass sie manchmal von ihrem Versteck hoch oben auf dem Bücherregal Zeuge geworden war, wie Max sich mit beiden Händen an den Kopf fasste, wenn er seine Kugelschreiber oder Papiere verstreut auf dem Fußboden herumliegen sah. Er pflegte dann mit lauter Stimme zu fragen, wer auf seinen Schreibtisch geklettert war, und schon kam Mix, der Kater mit dem griechischen Profil, schnurrend angelaufen und rollte sich vor Max auf den Rücken. Ein solches Geständnis ohne Worte ließ den Jungen stets schmunzeln, und er sagte dann: »In Ordnung, Mix. Freunde müssen sich immer die Wahrheit sagen.« Danach kraulte er ihm entweder den Bauch oder gab ihm eine Extraportion von seinem Lieblingsfutter.

»In der Tat, Herr Kater, Sie haben es herausgefunden. Ich bin eine Maus, und ich darf sagen, eine hochinteressante Maus sogar, obwohl es, geschmacklich gesehen, sehr viel leckerere gibt. Wenn ich Ihnen die Wahrheit sage, die ganze Wahrheit und nichts als die Wahrheit … Kriege ich dann eine Belohnung?«

Bevor Mix antwortete, hob er die Pfote und ließ die Maus frei.

»Ich weiß, dass du eine Maus bist. Ich weiß sogar, dass du oben auf dem Bücherregal wohnst. Ich höre dich nämlich jede Nacht, wenn du nach unten kletterst und zur Speisekammer schleichst, um dich an den zu Boden gefallenen Haferflocken gütlich zu tun. Du weißt, dass ich nicht sehen kann; aber meine Ohren und meine Nase sagen mir genau, was vor sich geht. Sag mir eines: Hast du keine Angst vor mir?«

»Aber ja, ich habe große Angst, Herr Kater. Ich bin der größte Angsthase unter den Mäusen, und ich vergehe jedes Mal vor Furcht; aber Hunger ist nun mal stärker als alle Angst. Ich wollte mich nur vergewissern, dass Sie nicht sehen können, denn auf dem Küchentisch liegen ein paar Müslireste, die köstlich aussehen, ausgesprochen köstlich, ganz superköstlich. Und ich habe eine große Leidenschaft für köstliche Dinge. Das ist die Wahrheit, die ganze Wahrheit und nichts als die Wahrheit … Gibt es irgendeine Belohnung für so viel Aufrichtigkeit?«

»Ja, aber sag mir zuerst, wie du aussiehst.«

Da beschrieb sich die Maus selbst und sagte, ihr Fell sei blassbraun mit einem weißen Streifen auf dem Rücken. Sie habe kurze Schnurrbarthaare, einen

schlanken Schwanz, und ihre Nasenspitze habe eine niedliche rosa Tönung.

»Tatsächlich bin ich das, was man eine gutaussehende Maus nennt, Herr Kater, sehr gutaussehend, sanft und voller Liebreiz. Ich bin eine mexikanische Maus und habe mit meinen Geschwistern in einem der unteren Stockwerke gewohnt. Ein trauriges Haustierleben war das, eingesperrt in einem gläsernen Käfig. Doch dann konnten wir entwischen, und meine Geschwister sind nach draußen gerannt; ich bin die Treppe hinaufgelaufen bis in Ihr Stockwerk, Herr Kater, wollte aber auf keinen Fall stören. Ich bin auch sehr schlau, die schlaueste Maus, die man sich vorstellen kann. Ich besitze ein großes Wissen, an dem ich Sie mit Vergnügen teilhaben lasse, wenn Sie mir erlauben, diese leckeren, ausgesprochen leckeren, ganz superleckeren Müslikrümel zu verputzen …«

»In Ordnung, du Maus. Friss die Müslikrümel, aber benutz dein Schnäuzchen wirklich nur zum Fressen«, sagte Mix ergeben und hörte schon die leisen Trippelschritte der Maus sich in Richtung Küche entfernen.

VI

Am nächsten Tag – noch bevor Max zurückkam
– hörte Mix die Maus vom Bücherregal herunter-
klettern und sich seinem gewohnten Platz unter der
Heizung nähern.

»Heute so schweigsam, Maus?«, fragte Mix.

»So ist es, Herr Kater. Ich sitze mit zuckenden Bart-
haaren still auf meinen Hinterbeinen, weil ich traurig
bin, sehr traurig, die traurigste Maus auf der Welt.
Oh, wie ist es so traurig! Soll ich Ihnen die Gründe
für meine Traurigkeit verraten? Ich darf vorausschi-
cken, dass es zwei sind.«

»Ich habe das sichere Gefühl, dass du sie mir nennen
wirst, auch wenn ich dich nicht frage.«

»Ja, das ist richtig. Der erste Grund meiner Traurigkeit ist der, dass ich keinen Namen habe. Sie heißen Mix; der junge Mensch, der Ihnen das Futter
gibt, heißt Max; aber ich habe keinen Namen, ich
bin bloß eine Maus, und wenn Sie laut Maus zu mir

47

sagen, denken tausend andere Mäuse, dass Sie mit ihnen und nicht mit mir reden. Ich will auch einen Namen haben!«

Ohne die Augen zu öffnen, wusste Mix, dass der kleine Nager mit dem schrillen Stimmchen recht hatte. Wenn Max Besuch bekam und dieser ihn mit Katze ansprach – »Komm her, Katze, komm …« – dann mochte die Stimme noch so angenehm sein; es war nicht dasselbe, als wenn Max ihn mit seinem Namen rief. Max brauchte bloß »Mix« zu rufen, dann fühlte er sich eingeladen, ihm Gesellschaft zu leisten, Freude mit ihm zu teilen oder nur still bei ihm zu sitzen.

»Du hast gesagt, du seist eine mexikanische Maus,
daher würde ich dich gern Mex nennen«, schlug
Mix vor. »Bist du damit einverstanden, Mex?«

»Das ist ein großartiger Name! Wirklich. Mex ist der Name, den ich immer schon gerne haben wollte. Herr Kater, lassen Sie mich sagen, dass Sie mir eine große Traurigkeit genommen haben. Darf ich Ihnen jetzt die zweite nennen?«

Seufzend nickte Mix, und Mex, der seine Begeisterung über den neuen Namen noch gar nicht fassen konnte, begann eine ausschweifende Rede über die herrlichen, leckeren Düfte in der Luft, die von Lebensmitteln herrührten, die ihm völlig unzugänglich waren.

»Mex, komm endlich zur Sache«, mahnte Mix.

»Das will ich ja. Also, in der Speisekammer steht eine Schachtel mit leckeren Haferflocken, ausgesprochen leckeren Haferflocken, ganz superleckeren Haferflocken, knusprigen Haferflocken, mit roten Waldfrüchten darin. Aber die Schachtel steht ganz oben, auf dem obersten Regal. Und sie riecht so lecker. Ach, ist das traurig!«, jammerte Mex.

»Mex, sag mir, was über dem Heizkörper ist«, unterbrach ihn Mix.

Mex sagte, da sei das Fenster, und auf dem Fensterbrett ständen zwei Töpfe mit Pflanzen, und hinter dem Fenster sei die Straße zu sehen. Da bat Mix ihn, auf das Fensterbrett zu klettern und ihm alles zu berichten, was er vom Fenster aus sähe.

Das tat Mex und beschrieb ihm die weiße Straße, denn in der Nacht hatte es geschneit; er zählte die Krähennester in den umstehenden Bäumen und berichtete, die Zweige hätten zwar keine Blätter, seien deswegen aber nicht traurig, denn von der Kälte waren sie mit Raureif überzogen und sahen wie zierliche Glasgebilde aus. Er beschrieb einen Mann, der tiefe Fußspuren im Schnee hinterließ, und eine Frau, die mühsam ihren Kinderwagen hinter sich herzerrte, und die Fahrräder der Postboten, die wie magere gelbe Tiere an der Wand des Post-

amts lehnten. Mix lauschte aufmerksam dem hellen Stimmchen seines neuen Freundes, das ihn wieder die schneebedeckten Dächer sehen ließ, qualmende Schornsteine und langsam über den weißen Winterteppich gleitende Autos. Mex brachte ihm unvergessene Freuden vor die nutzlosen Augen, und als er erzählte, in der Ferne, in wirklich sehr weiter Ferne könne man zwei Türme sehen, von riesigen Zwiebeln gekrönt, da wusste Mix, dass er die Kuppeln der Frauenkirche meinte, die einmal zu erklimmen der Traum aller Münchener Katzen war.

»Und jetzt fallen Schneeflocken vom Himmel, die aussehen wie leckere Haferflocken, ausgesprochen leckere Haferflocken, superleckere Haferflocken, so köstlich, köstlich, köstlich …«, beschloss Mex seinen Bericht unter Seufzern.

»Komm mit in die Speisekammer«, sagte Mix. Drinnen bat er seinen Freund Mex, ihm genau zu erklären, auf welchem Regal die Haferflockenschachtel stand. Den Anweisungen seines Freundes folgend, sprang er auf das unterste Brett des Wandschranks, wo ihm der Geruch von Äpfeln, Mandarinen und Nüssen in die Nase stieg. Dann machte er sich ganz lang, bis er mit einer Vorderpfote die Haferflockenschachtel erreichte und sie so lange schubste, bis sie hinunterfiel. Mit einem Satz war Mix wieder am Boden, hielt mit einer Pfote die Schachtel fest, steckte die andere in die Öffnung und puhlte eine großzügige Portion knuspriger Haferflocken heraus.

»Das sind wirklich ganz köstliche Haferflocken, die leckersten Haferflocken, die es gibt, ganz superleckere Haferflocken«, frohlockte Mex, auf den Hinterbeinen sitzend und an einer Haferflocke nagend, die er in den Vorderpfoten hielt.

Mix hörte ihn seufzen und knabbern.

Wahre Freunde teilen auch die kleinen Freuden des Lebens.

VII

Kurz nach Mittag kam Max zurück. Mix hörte seine Schritte draußen im Flur, hörte ihn die Tür öffnen und das Klimpern der Schlüssel, die auf das Flurtischchen gelegt wurden. Dann hörte er Max ächzen, als dieser sich die schneefeuchten Stiefel auszog.

»Habe ich einen Hunger, Mix!«, sagte Max, und ging in die Küche. Dann sah er die Haferflockenschachtel, die in der Speisekammer auf dem Boden lag.

»Sieh einer an! Da hat wohl jemand in der Speisekammer herumgeturnt. Ich frage mich, wer das gewesen sein mag; habe da allerdings einen bestimmten Freund mit schwarzweißem Fell und griechischem Profil in Verdacht.«

Wie immer kam Mix herbei, rieb sich schnurrend an seinen Beinen und wälzte sich auf dem Rücken.

»Das war aber nicht ungefährlich, Mix«, sagte Max, dem Kater den Bauch kraulend. Ein Moment später fügte er jedoch hinzu: »Wenn du so gerne Haferflocken magst, gebe ich dir künftig immer eine kleine Portion als Nachtisch.«

Mix dachte, dass er auf seine Art zwar die Wahrheit gesagt hatte; zugleich aber war er ein bisschen traurig, weil diese Wahrheit ja auch etwas verbarg, und vor seinen Freunden sollte man nie etwas verbergen. Max sah seinen blinden Kater zum Bücherregal gehen, sich dort niedersetzen und miauen, wobei die blinden Augen nach oben gerichtet waren.

»Ein Buch?«, fragte Max. »Was willst du mit einem Buch? Du kannst doch gar nicht lesen, und außerdem …«

Als Antwort stellte sich Mix auf die Hinterbeine, stützte die Vorderpfoten auf einem der unteren Regalbretter ab und miaute weiter mit nach oben gerichtetem Kopf.

»James Fenimore Cooper, *Der letzte Mohikaner*«, las Max. Mix miaute weiter.

Max las die Titel der Bücher auf dem obersten Regalbrett: »Jack London, *Wolfsblut*; Mark Twain, *Die Abenteuer des Huckleberry Finn*; Selma Lagerlöf, *Die wundersame Reise des Nils Holgersson*; Michael Ende, *Die unendliche Geschichte* …« Je weiter er sich dem Regalende näherte, desto freudiger und besänftigter wurde Mix' Miauen.

Schließlich kam er zum Rücken eines dicken Buches mit braunem Einband. »Jules Verne, *Zwanzigtausend Meilen unter dem Meer.*« Da warf sich Mix wieder auf den Rücken und schnurrte glücklich. Als Max das Buch hervorzog, glaubte er seinen Augen nicht zu trauen und musste einige Male blinzeln. In

einem Nest aus kleinen Papierfetzen saß eine winzige Maus mit hellbraunem Fell und hielt sich mit den Vorderpfoten die Augen zu.

Mix rieb sich schnurrend an den Beinen seines Freundes.

»Na, so was! Wir haben also einen Mitbewohner. Als Kind habe ich mir auch immer die Augen zugehalten, um unsichtbar zu sein. Du willst dieses arme Mäuslein doch wohl nicht fressen?«, fragte Max. Dann fiel ihm die Haferflockenschachtel auf dem Fußboden der Speisekammer ein.

»Mix, die Haferflocken waren für die Maus?«

Max nahm das zitternde Mäuschen vorsichtig herunter, setzte es auf den Boden und sah, wie es zu Mix rannte und zwischen den Beinen des Katers Zuflucht suchte.

»Freut mich, dass du einen Freund gefunden hast, Mix. Da bist du nicht so allein. Ich muss in den nächsten Tagen nämlich noch ein paarmal verreisen«, sagte Max. Und nach einer Weile: »Dann sind wir jetzt also zu dritt in der Wohnung ...«

Mit diesen Worten stellte er ein kleines Schüsselchen neben das von Mix. In eines schüttete er eine großzügige Portion Katzenfutter mit Fischgeschmack und in das andere eine ebenfalls großzügige Portion Haferflocken.

VIII

Als der Winter zu Ende ging und die Tage länger wurden, fand Max die richtige Arbeit für sich. Am ersten Arbeitstag ging er freudig und voller Erwartung aus dem Haus, und bevor er die Tür hinter sich schloss, kraulte er Mix' Rücken und den kleinen Kopf von Mex.

»Drückt mir die Daumen, Freunde«, sagte er. »Ab heute muss ich alles zeigen, was ich weiß und was ich kann.«

Mex kletterte auf das Fensterbrett und berichtete seinem Freund, was er draußen sah.

»Gerade hat er die Abfalltüte in die Mülltonne ge-
worfen, und jetzt schließt er sein Fahrrad auf, das
beste aller Fahrräder, das Superfahrrad, und tritt in
die Pedalen. Wie kraftvoll er in die Pedalen tritt! Ja,
das ist unser Max!«, jubelte Mex.

Mix wollte wissen, wie der Himmel aussah, die Straße, die Sträucher im Vorgarten.

»Der Himmel ist blau, die Luft ist klar, man sieht
keine Wolken, auf der Straße sind viele Autos, viele
Fahrräder und Leute, die sich grüßen. Zwischen den
Sträuchern sieht man schon vereinzelt kleine weiße
Blüten, die sehen aus wie leckere Haferflocken …«

Er berichtete auch, dass die Kronen der Kastanien
schon voller Knospen waren, die bald zu grünen
Blättern würden, und dass man in einem Krähen-
nest die Köpfe von drei Jungen sehen könne, die in
wenigen Wochen bestimmt schon ihre ersten Flug-
versuche unternähmen.

So vergingen die Morgenstunden in aller Beschau-
lichkeit. Mix lag auf seinem Lieblingsplatz an der
Heizung, und Mex stand auf seinen Hinterbeinen
auf dem Fensterbrett und beschrieb, was draußen
alles so passierte.

Kurz vor Mittag wurden die beiden Freunde vom
Geräusch von Schritten aufgeschreckt, die draußen
vor der Wohnungstür anhielten. Zuerst dachten sie,
es sei Max, der etwas vergessen hatte, doch Mix sagte,
das seien nicht die festen, unbekümmerten Schritte
von Max. Diese waren anders: heimlich, miss-
trauisch zögernd. Und wie erschraken sie
erst, als sie das metallische Klirren
eines Schlüsselbundes hörten!

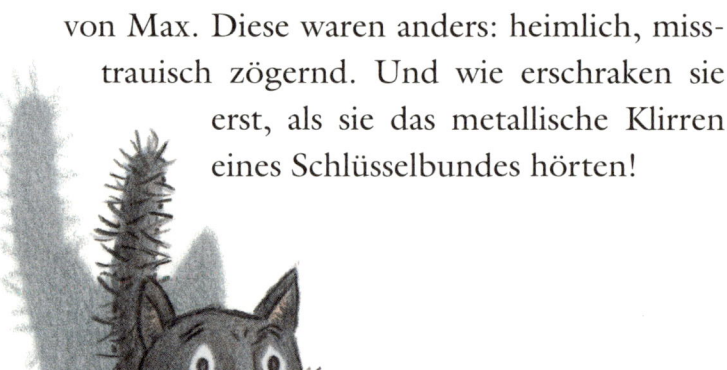

»Ich habe Angst!«, rief Mex und flüchtete zwischen die Beine seines Freundes. »Ich habe dir ja gesagt, dass ich mich leicht fürchte, das ich der größte Angsthase unter allen Mäusen bin.«

»Wer immer das ist, er versucht, die Tür aufzumachen. Wir müssen was unternehmen, Mex. Ich habe mal von Leuten gehört, die dringen in fremde Wohnungen ein und nehmen Sachen mit. Einbrecher heißen die«, sagte Mix.

»Ja, ja, das ist sicher ein Einbrecher, der uns ausrauben will. Ich habe solche Angst! Was können wir denn schon unternehmen, ein blinder Kater und eine feige Maus?«, rief Mex, folgte seinem Freund jedoch zur Tür. Das Geräusch verschiedener Schlüssel, die ins Schloss gesteckt wurden, ließ ihnen Kälteschauer über den Rücken laufen, die ganz anders

waren als die im Winter, wenn das Fenster mal offen war.

»Wir müssen uns was einfallen lassen, Mex!«, beharrte Mix. Die beiden drückten ihre Körper mit aller Kraft gegen die Tür, bis Mex plötzlich losrannte und – unaufhörlich jammernd, wie sehr er sich fürchte und welch furchtbare Angst er habe – auf die Kommode im Wohnzimmer kletterte. Dort schob er die Fernbedienung des Fernsehers zum Rand, bis sie hinunterfiel. Immer noch vor Angst zeternd, kletterte Mex nach unten und begann, auf den Tasten herumzuspringen.

Gerade in dem Moment, als ein leises *klick* ihnen anzeigte, dass der Dieb den richtigen Schlüssel gefunden hatte, schallte durch die ganze Wohnung eine jubelnde Frauenstimme, die die Ankunft des Frühlings besang.

Mix hörte auf, seinen Rücken gegen die Tür zu drücken, als er draußen sich hastig entfernende Schritte vernahm.

»Gut gemacht, Mex!«, rief er seinem Freund zu.
»Das war eine tolle Idee. Den Einbrecher haben wir
aber reingelegt!«

Wenn Freunde zusammenhalten, sind sie unbesieg-
bar.

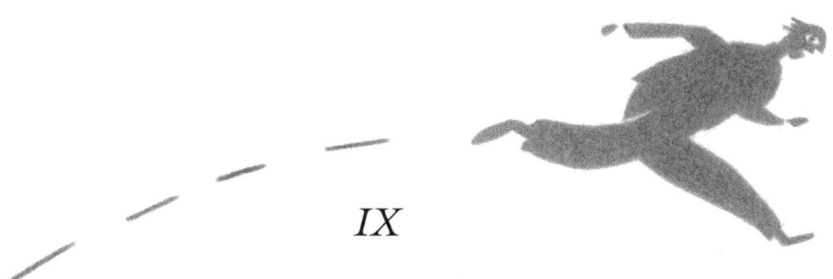

IX

Max erfuhr nie, dass sein alter, blinder Kater und
das Mäuschchen mit dem blassbraunen Fell und
dem weißen Streifen auf dem Rücken die Wohnung
verteidigt und einen Einbrecher in die Flucht ge-
schlagen hatten.

Mix und Mex dachten stets mit einer Mischung
aus Freude und Furcht an ihr Abenteuer, wobei
die Maus ihren Anteil am Gelingen besonders her-
vorzuheben pflegte.

»Ich hatte wirklich große Angst, mein Freund Mix,
sehr große Angst. Ich habe dir ja gesagt, dass ich
eine feige Maus bin; aber ich habe dir auch gesagt,
dass ich schlau bin, sehr schlau sogar, o ja, ich bin
die schlauste Maus überhaupt, und bei dem Gedanken, dass der Einbrecher die Speisekammer ausrauben könnte … Ach, das wäre wirklich schrecklich
gewesen, ausgesprochen furchtbar, ganz super-
furchtbar …«

Mix hatte sich an die Geschwätzigkeit seines kleinen Freundes längst gewöhnt und ließ ihn tausendundeine Version dieser Geschichte erzählen.

Eines Morgens, die Sonne stand schon strahlend am Himmel, wollte Mex wissen, wofür die Leiter im Bad sei. Langmütig erklärte Mix ihm, dass er für sein Gefühl schon eine Ewigkeit nicht mehr an diese Leiter gedacht habe, und auch an die Dachluke nicht, die sich, wenn die Scharniere gut geölt waren, früher mit einem leichten Schubs öffnen ließ. Und während er erzählte, hatte er zum ersten Mal das deutliche Gefühl, dass die Blindheit seiner geliebten Katzenfreiheit ein Ende gesetzt hatte.

»Ich will ja nicht aufdringlich erscheinen; aber ich frage mich, ob ein kleiner, ein ganz kleiner, ein winzigkleiner Spaziergang über die Dächer dir nicht guttäte, mein Freund. So ein Spaziergang über die Dächer regt auch den Appetit an«, fügte Mex hinzu.

Bevor Mix eine Antwort gab, dachte er daran, wie leichtfüßig er früher die Leiter hinaufgesprungen war, mit welcher Freude er die kalte Luft des Winters und das erfrischende Lüftchen, das im Sommer dort oben wehte, in seine Lungen gesogen hatte.

»Ich kann und ich darf das nicht mehr«, sagte Mix. »Ich weiß nicht, wohin ich treten muss; und wenn es auch heißt, Katzen fallen immer auf die Füße, glaube ich nicht, dass ein Sturz aus dieser Höhe empfehlenswert wäre. Was würde dann aus dir? Du könntest die Dachluke nicht mehr aufbekommen und kämst nicht mehr ins Haus.«

Daraufhin begann Mex zu jammern, dass er dann sehr unglücklich wäre, ungeheuer unglücklich, die unglücklichste Maus auf Erden, so ganz allein und verlassen auf dem Dach. Und während er das sagte, setzte er sich auf die Hinterbeine und wedelte mit den Vorderpfoten vor Mix' trüben Augen hin und her.

»Ja, das wäre tatsächlich ein großes Unglück«, fuhr er fort, »aber du bist stark, Mix, und ich sehe sehr gut. Ich habe gute Augen, hervorragende Augen, superhervorragende Augen. Ich könnte dir zeigen, was du nicht siehst ...«

Als er dem Freund so zuhörte, fühlte Mix, wie seine Muskeln sich spannten, eine seltsame Wärme ihn durchflutete und sein Schwanz in Erwartung von Abenteuern aufgeregt zu zucken begann.

Wahre Freunde helfen einander, jede Schwierigkeit zu meistern.

Als sie schließlich die oberste Leitersprosse erreichten, sagte die ins Nackenfell des Katers festgekrallte kleine Maus, dass sie gleich an die Dachluke stoßen würden.

Mix schob sie daraufhin mit dem Kopf auf, und die frische Luft erfüllte ihn mit einer Freude, die er schon verloren gegeben hatte.

»Mex, sag mir, was du siehst!«

»Ich sehe ein großes Dach, ein riesiges Dach, es muss das größte Dach der Welt sein. Jede Menge Rohre, die aus den Dächern ragen, und am Himmel sehe ich einen großen Vogel, der ganz schnell fliegt und zwei weiße Streifen hinter sich herzieht, weiß wie Watte. Wenn ich genauer hinschaue, sehen sie doch nicht wie Watte aus, sondern eher wie zwei Streifen leckerer Sahne, köstlich leckerer Sahne, wie auf dem Geburtstagskuchen von Max …«

Die beiden Freunde erkundeten das Dach. Mix setzte Pfote vor Pfote, wie Mex es ihm riet, der sich fest in sein Nackenfell krallte und ihn genau hinwies, wo eine Dachziegel aufhörte und die nächste begann, wo sich die Dachkante befand und die Regenrinne, die voller Staub und trockener Blätter war.

»Sind wir sehr nah an der Dachkante, Mex?«

»Ja, sind wir. Man kann unten schon die Mülltonnen sehen. Besser, wir gehen ein Stück zurück, Mix.«

Hausdächer sind für Katzen ein Abenteuer ohne Grenzen und stets voller Überraschungen, da Wind, Regen und Schnee ständig neue, rätselhafte Gerüche herantragen. Auf dem Dach bewegen sich Katzen gewandt und ungezwungen; da schleichen sie nicht, sondern schreiten ganz selbstverständlich und majestätisch einher.

»Mex, wenn ich mich recht entsinne, stehen die Mülltonnen in einem schmalen Durchgang, und dahinter beginnt gleich das nächste Dach, stimmt's?«

»So ist es. Da kommt gleich das nächste Dach, und dann noch eines und noch eines …«

»Möchtest du fliegen, mein Freund?«

»O ja, fliegen. Ich wollte schon immer fliegen, eine fliegende Maus sein, die fliegendste Maus der Welt. Aber wir haben ja keine Flügel. Ach, ist das ein Jammer, keine Flügel zu haben!«

Mix bat seinen Freund, aufmerksam zuzuhören, ihn von den Schnurrbarthaaren bis zur Schwanzspitze

ganz genau anzusehen und ihm dann zu sagen, wie oft seine Körperlänge in die Lücke zwischen beiden Dächern passe. Mex sprang von Mix' Nacken und entfernte sich ein paar Schritte, um besser sehen und abschätzen zu können.

»Ich würde sagen, wenn wir sechs große, starke Kater wie dich hintereinanderbrächten, hätten wir eine Brücke, über die wir aufs andere Dach gelangen könnten. Ach, ist das ein Jammer! Ich sehe bloß einen einzigen Mix, so fehlen uns noch fünf.«

Mix, der Kater mit dem griechischen Profil, tastete sich vorsichtig bis an den Rand des Daches vor, hielt eine Pfote über den Abgrund, und dann glitt er mit den gleichen vorsichtigen Bewegungen wieder zurück.

»Und jetzt, Mex, sage mir, wie viele meiner Körperlängen uns vom Rand des Daches trennen.«

»Zwei. Von hier bis zum Dachrand sind es zwei Mixe, deine Barthaare nicht mitgerechnet, die waren nämlich steil in die Höhe gerichtet, als du am Rand gestanden hast.«

»Dann steig auf, mein Freund. Und halte dich gut fest.«

Als die kleine Maus sich in Mix' Nacken gesetzt und sich mit den Vorderpfoten in das Fell unter den Ohren festgekrallt hatte, begann Mix' Schwanz zu zucken, als stünde er unter Strom. Eine Wärme von vor langer Zeit dehnte sich in seinen Muskeln aus, als er sich beinahe kriechend dem Dachrand näherte und seine ganze Kraft in die Hinterbeine pumpte. Er wartete, bis die gewaltige Spannkraft von Großkatzen, von Tiger, Löwe und Jaguar seinen Körper erfüllte. Dann sprang er, den Körper gestreckt wie ein Pfeil, der von der Sehne schnellt.

Es war nur ein kurzer Flug; aber Mix spürte den
Wind im Gesicht, die Leichtigkeit seiner Vorderpfoten, bereit, sich festzukrallen, das trunkene Gefühl
von Freiheit, nun, da er wusste, dass er immer noch
von einem Dach zum anderen springen konnte. Als
er wieder festen Halt unter den Pfoten hatte, dankte
er seinem Freund Mex dafür, dass er ihm seine Augen lieh.

X

Max, Mix und Mex lebten noch mehrere Jahre in
der Münchener Wohnung. Wenn der Briefträger sein
gelbes Fahrrad an den Zaun des Vorgartens lehnte
und dabei nach oben blickte, glaubte er manchmal
einen Kater mit griechischem Profil an der Dachkante sitzen zu sehen, neben sich etwas, das wie ein
winziges Plüschtier aussah. Oder wenn die Tulpen-
verkäuferin auf dem Samstagsmarkt wieder einmal
seufzend den Blick zum Himmel erhob, erschrak
sie oft genug beim Anblick eines Katers mit wei-
ßem Bauch und schwarzem Rücken, der von Dach
zu Dach sprang mit einem seltsamen, blassbraunen
Auswuchs im Nacken. Und in der Eckkneipe unten
hängte ein Schornsteinfeger seinen Zylinder an den
Haken, bestellte ein Bier und sagte: »Freunde, ich
weiß nicht, ob ich Gespenster sehe; aber auf meinem
letzten Hausdach saß ein Kater mit griechischem
Profil neben einer Maus, und beide betrachteten

den Sonnenuntergang. Das Merkwürdigste aber war, dass das Mäuschen dem Kater ins Ohr zu flüstern und der Kater dem Mäuschchen ganz andächtig zuzuhören schien. Mann, dieses Bier brauche ich jetzt wirklich!«

In der Zeit, die Kater und Maus zusammen ver-
brachten – egal, wie kurz oder lang sie war, denn das
Leben bemisst sich nach der Intensität, mit der es
gelebt wird –, sah Mix mit den Augen seines kleinen
Freundes, und Mex wurde stark durch die Kraft, die
von seinem großen Freund ausging.
Und beide waren glücklich, da sie wussten, dass
wahre Freunde das Beste teilen, was sie besitzen.

Gijón, Spätsommer 2012

Luis Sepúlveda, geboren 1949 in Nordchile, ging nach politischem Engagement in der Studenten- und Gewerkschaftsbewegung ins Exil nach Ecuador, gründete Theatergruppen in Peru, Ecuador und Kolumbien, arbeitete als Journalist. Er lebt heute in Spanien. Luis Sepúlveda schreibt Romane, Erzählungen, Theaterstücke, Hörspiele und Essays. Sein Werk wurde mit mehreren literarischen Preisen ausgezeichnet.

Sabine Wilharm, geboren 1954, studierte Illustration an der Fachhochschule für Gestaltung in Hamburg und arbeitet als freie Illustratorin vorwiegend für Kinderbuchverlage.

Für Fischer hat sie u. a. auch Luis Sepúlvedas Kinderroman ›Wie Kater Zorbas der kleinen Möwe das Fliegen beibrachte‹ illustriert.

Willi Zurbrüggen, geboren 1949 in Borghorst, Westfalen, absolvierte eine Sparkassenlehre und arbeitete bei einer Investmentbank in Frankfurt am Main. Er bereiste den Maghreb und den Vorderen Orient, bevor er zwei Jahr in Mexiko und Mittelamerika lebte. Seit 1980 ist er freier Literaturübersetzer aus dem Spanischen. Für seine Übersetzungen hat er viele Preise erhalten.